Primera edición en el Perú

MARIELA LIBÉLULA
Título original:
Ursulle la Libellule

Traducción:
Martha Muñoz de Coronado

© Éditions Gallimard, Francia, 1998
© Antoon Krings

De esta coedición:
© Art Blume, S.L., 2007
Av. Mare de Déu de Lorda, 20 - 08034 Barcelona, España
www.blume.net
© Ediciones PEISA S.A.C., 2007
Av. Dos de Mayo 1285, San Isidro. Lima 27, Perú
info@peisa.com.pe

Autor e ilustrador:
Antoon Krings

Tiraje: 40,000 ejemplares
ISBN N.º: 9972-40-398-X (antigua codificación)
ISBN N.º: 978-9972-40-398-9
Registro de Proyecto Editorial N.º: 11501310600853
Hecho el depósito legal en la Biblioteca Nacional del Perú N.º: 2006-11505
Impresión:
Quebecor World Perú S.A.
Av. Los Frutales 344, Ate - Lima 3, Perú

Mariela Libélula

Bichitos Curiosos
SERIE 2

BLUME

PEISA

Antoon Krings

Mariela Libélula vivía sola en una casita flotante en medio del estanque. No le gustaba ver su casa desarreglada y por esa razón nunca invitaba a nadie.

Sin embargo, cada año, cuando llegaban los días soleados, recibía la visita de sus vecinos del jardín.

Abeja Teresa llegaba después de sorber el néctar de las flores. Abejorro Modorro aprovechaba el buen tiempo y, echado sobre una hoja, refrescaba sus alas. En cuanto a Escarabajo Gustavo, él pintaba nenúfares en uno de sus cuadros. Mientras tanto, Mariela iba de un lado a otro advirtiéndoles que no tocaran sus flores, que no entraran en su casa con las patas mojadas y patatí, patatá… hasta que todo el mundo regresaba por fin a su casa.

Pero un día, dando grandes saltos, alguien llegó hasta la casa de Mariela: Era el señor Ramón Rana.

Lo curioso es que este señor no sólo daba grandes saltos. A Ramón también le gustaba cantar. En efecto, todas las noches croaba ruidosamente, porque quería pregonar que estaba enamorado.

La primera en saberlo fue Mariela. Ya no podía ni dormir.

—Me croa en las orejas. ¡Que vaya a hacer su escándalo a otra parte! —exclamaba.

—¡Croac, croac, croac! —es todo
lo que Ramón respondió cuando
Mariela le pidió que hiciera
menos ruido. Y como Ramón
era dos veces más grande
que la libélula y es sabido que las ranas
suelen tragarse a los insectos,
Mariela no insistió más por miedo
a ser devorada ella también.

Finalmente, después de tantos "croac", Ramón Rana encontró lo que tanto buscaba: una novia.

Es fácil imaginar que Mariela rechazó la invitación para asistir a la boda de las ranas, que se casarían en el fondo del estanque.

Las ranas se casaron y tuvieron muchos renacuajos. Y los días volvieron a ser tranquilos para felicidad de Mariela. La libélula ya no escuchaba cantar a Ramón, que estaba muy ocupado en criar a sus hijos.

Pero la felicidad no duró mucho.
De hecho, sólo el tiempo que los
renacuajos tardaron en crecer.
Entonces, una mañana, una ranita
y luego dos y luego tres y al final
una multitud de ranitas sacaron
la cabeza del agua y empezaron
a brincar alrededor
de la casa de Mariela.

—¡Vamos! ¡Fuchi! ¡Desaparezcan, renacuajos! —gritaba furiosa.

Nuestra libélula trataba de ahuyentarlos amenazándolos con su escoba.

Pero no logró asustar a las ranitas.

A Mariela no le quedo más remedio
que refugiarse en su casa y cerrar
con llave puertas y ventanas.
Para su mala suerte,
los siguientes días fueron como los
anteriores: terriblemente bulliciosos.
Había que esperar a que
las ranitas crecieran.

¡Pero, cuando crecieron, un concierto
de "croacs" se podía escuchar
por todos los rincones del estanque!
Hubieron muchos matrimonios
y poco tiempo después un número
incalculable de renacuajos salió del agua.

La pobre Mariela se sabía de memoria
la canción. Antes de partir, vendió
su casa a las ranitas, que mal que bien,
se instalaron con sus numerosos hijos
y sus numerosos nietos.

Por suerte la señorita Mariela
encontró otra laguna donde también
crecían nenúfares. Pero se dio cuenta
de que vivir sola no era
lo que realmente le gustaba.
Creo que incluso llegó a extrañar
a los escandalosos renacuajos.
Es por eso que el día que vio llegar
a una ranita verde, ella le hizo
"croac, croac" de alegría.
¡Así le dio la bienvenida!